SUKEN NOTEBOOK

チャート式
解法と演習　数学Ⅲ

完 成 ノ ー ト

【積分法とその応用】

　本書は，数研出版発行の参考書「チャート式 解法と演習　数学 Ⅲ」の
　　　　　　　　第 5 章「積分法」，　第 6 章「積分法の応用」
の例題と PRACTICE の全問を掲載した，書き込み式ノートです。
　本書を仕上げていくことで，自然に実力を身につけることができます。

目　次

第 5 章　　積分法

第 6 章　積分法の応用

231201

１３．不定積分

基 本 例題 108

次の不定積分を求めよ。

(1) $\displaystyle\int (2x^4 - 3x^2 + 4)dx$

(2) $\displaystyle\int \frac{x^2 - 4x + 2}{x^2}dx$

(3) $\displaystyle\int (4\sin x - 5\cos x)dx$

(4) $\displaystyle\int (e^x + 2^{x+1})dx$

PRACTICE (基本) **108** 次の不定積分を求めよ。

(1) $\displaystyle\int \frac{x^4 - x^3 + x - 1}{x^2}dx$

(2) $\displaystyle\int \frac{(\sqrt[3]{x}-1)^2}{\sqrt{x}}dx$

(3) $\displaystyle\int \frac{3+\cos^3 x}{\cos^2 x}dx$

(4) $\displaystyle\int \frac{1}{\tan^2 x}dx$

(5) $\displaystyle\int \left(2e^x-\frac{3}{x}\right)dx$

4

基 本 例題 109 ☐ ▶ 解説動画

次の不定積分を求めよ。

(1) $\displaystyle\int \sqrt{(2x+1)^3}\,dx$

(2) $\displaystyle\int \sin(3x+2)\,dx$

(3) $\displaystyle\int \frac{1}{1-3x}\,dx$

(4) $\displaystyle\int 2^{4x-1}\,dx$

PRACTICE (基本) **109**　次の不定積分を求めよ。

(1) $\displaystyle\int \frac{1}{(2x+3)^3}\,dx$

(2) $\displaystyle\int \sqrt[4]{(2-3x)^3}\,dx$

(3) $\displaystyle\int \frac{1}{e^{3x-1}}\,dx$

(4) $\displaystyle\int \frac{1}{\cos^2(2-4x)}\,dx$

基本 例題 110

次の不定積分を求めよ。

(1) $\displaystyle\int \frac{x}{(3x-1)^2}\,dx$

(2) $\displaystyle\int \frac{x}{\sqrt{2x+1}}\,dx$

PRACTICE (基本) **110**　次の不定積分を求めよ。

(1)　$\displaystyle \int \frac{x-1}{(2x+1)^2}\,dx$

(2)　$\displaystyle \int \frac{9x}{\sqrt{3x-1}}\,dx$

(3)　$\displaystyle \int x\sqrt{x-2}\,dx$

基本 例題 111

□ ▷ 解説動画

次の不定積分を求めよ。

(1) $\displaystyle\int \sin^2 x\cos x\,dx$

(2) $\displaystyle\int x(x^2+1)^3\,dx$

(3) $\displaystyle\int \frac{2x+4}{x^2+4x+1}\,dx$

PRACTICE (基本) **111**　次の不定積分を求めよ。

(1)　$\displaystyle\int (2x+1)(x^2+x-2)^3\,dx$

(2)　$\displaystyle\int \frac{2x+3}{\sqrt{x^2+3x-4}}\,dx$

(3)　$\displaystyle\int x\cos(1+x^2)\,dx$

(4) $\displaystyle\int e^{x}(e^{x}+1)^{2}dx$

(5) $\displaystyle\int \frac{\tan x}{\cos x}dx$

(6) $\displaystyle\int \frac{1-\tan x}{1+\tan x}dx$

基本 例題 112

次の不定積分を求めよ。

(1) $\displaystyle\int x\cos 3x\, dx$

(2) $\displaystyle\int \log(x+2)\, dx$

PRACTICE (基本) **112** 次の不定積分を求めよ。

(1) $\displaystyle\int x\sin 2x\, dx$

(2) $\displaystyle\int \frac{x}{\cos^2 x}dx$

(3) $\displaystyle\int \frac{1}{2\sqrt{x}}\log x\,dx$

(4) $\displaystyle\int (2x+1)e^{-x}dx$

基本 例題 113

次の不定積分を求めよ。

(1) $\displaystyle\int x^2\cos x\, dx$

(2) $\displaystyle\int x^2 e^{-x}\, dx$

PRACTICE (基本) **113** 次の不定積分を求めよ。

(1) $\displaystyle\int x^2\sin x\, dx$

(2) $\displaystyle\int x^2 e^{2x}dx$

(3) $\displaystyle\int (\log x)^2 dx$

基本 例題 114

次の不定積分を求めよ。

(1) $\displaystyle \int \frac{x^2+1}{x+1} dx$

(2) $\displaystyle \int \frac{-x+5}{x^2-x-2} dx$

PRACTICE (基本) **114**　次の不定積分を求めよ。

(1)　$\displaystyle \int \frac{x^2+x}{x-1}dx$

(2)　$\displaystyle \int \frac{x}{x^2+x-6}dx$

16

基本 例題 115

次の不定積分を求めよ。

(1) $\displaystyle \int \frac{x}{\sqrt{x+1}+1}\,dx$

(2) $\displaystyle \int \frac{1}{x\sqrt{x+1}}\,dx$

PRACTICE (基本) 115　次の不定積分を求めよ。

(1) $\displaystyle \int \frac{x}{\sqrt{x+2}-\sqrt{2}}\,dx$

(2) $\displaystyle\int \frac{x+1}{x\sqrt{2x+1}}dx$

(3) $\displaystyle\int \frac{2x}{\sqrt{x^2+1}-x}dx$

基本 例題 116

次の不定積分を求めよ。

(1) $\displaystyle\int \cos^2 x\, dx$

(2) $\displaystyle\int \sin^3 x\, dx$

(3) $\displaystyle\int \sin 3x \cos 2x\, dx$

PRACTICE (基本) **116**　次の不定積分を求めよ。

(1) $\displaystyle\int \frac{\sin^2 x}{1+\cos x}\, dx$

(2) $\displaystyle\int \cos 4x \cos 2x\, dx$

(3) $\displaystyle\int \sin 3x \sin 2x\, dx$

(4) $\displaystyle\int \cos^4 x\, dx$

(5) $\displaystyle\int \sin^3 x \cos^3 x \, dx$

(6) $\displaystyle\int \left(\tan x + \frac{1}{\tan x} \right)^2 dx$

基本 例題 117

次の不定積分を求めよ。

(1) $\displaystyle\int \frac{1}{\cos x}dx$

(2) $\displaystyle\int \frac{\sin x - \sin^3 x}{1 + \cos x}dx$

PRACTICE (基本) **117**　次の不定積分を求めよ。

(1) $\displaystyle\int \sin x \cos^5 x\, dx$

(2) $\displaystyle\int \frac{\sin x \cos x}{2 + \cos x} dx$

(3) $\displaystyle\int \cos^3 2x\, dx$

(4) $\displaystyle\int (\cos x + \sin^2 x)\sin x\, dx$

(5) $\displaystyle \int \frac{\tan^2 x}{\cos^2 x} dx$

基本 例題 118

次の不定積分を求めよ。

(1) $\displaystyle \int \frac{\log x}{x(\log x + 1)^2} dx$

(2) $\displaystyle \int \frac{e^{3x}}{(e^x + 1)^2} dx$

PRACTICE (基本) **118**　次の不定積分を求めよ。

(1)　$\displaystyle\int \frac{1}{x(\log x)^2}dx$

(2)　$\displaystyle\int \frac{\sqrt{\log x}}{x}dx$

(3)　$\displaystyle\int \frac{1}{e^x+2}dx$

(4)　$\displaystyle\int \frac{e^{3x}}{\sqrt{e^x+1}}dx$

基本 例題 119

(1) $f'(x) = xe^x$, $f(1) = 2$ を満たす関数 $f(x)$ を求めよ。

(2) $f(x)$ は $x > 0$ で定義された微分可能な関数とする。曲線 $y = f(x)$ 上の点 (x, y) における接線の傾きが $\dfrac{1}{x}$ で表される曲線のうちで，点 $(e, 2)$ を通るものを求めよ。

PRACTICE (基本) **119** (1) $x>0$ で定義された関数 $f(x)$ は $f'(x)=ax-\dfrac{1}{x}$ (a は定数), $f(1)=a$,

$f(e)=0$ を満たすとする。$f(x)$ を求めよ。

(2) 曲線 $y=f(x)$ 上の点 $(x,\ y)$ における接線の傾きが 2^x であり,かつ,この曲線が原点を通るとき,

$f(x)$ を求めよ。ただし,$f(x)$ は微分可能とする。

重 要 **例題 120**

□ ▷ 解説動画

次の不定積分を求めよ。

(1) $\displaystyle\int \cos^5 x\,dx$

(2) $\displaystyle\int \sin^6 x\,dx$

PRACTICE (重要) **120**　次の不定積分を求めよ。

(1) $\displaystyle\int \sin^5 x\,dx$

(2) $\displaystyle\int \tan^3 x\,dx$

(3) $\displaystyle\int \cos^6 x\,dx$

重要 例題 121

$I=\displaystyle\int e^x\sin x\,dx,\ \ J=\displaystyle\int e^x\cos x\,dx$ であるとき

(1) $I=e^x\sin x-J,\ \ J=e^x\cos x+I$ が成り立つことを証明せよ。

(2) I, J を求めよ。

PRACTICE (重要) **121** $I=\displaystyle\int(e^x+e^{-x})\sin xdx$, $J=\displaystyle\int(e^x-e^{-x})\cos xdx$ であるとき，等式 $I=(e^x-e^{-x})\sin x-J$, $J=(e^x+e^{-x})\cos x+I$ が成り立つことを証明し，I, J を求めよ。

重要 例題 122

$I_n = \displaystyle\int \sin^n x\, dx$ とする。次の等式が成り立つことを証明せよ。ただし, n は 2 以上の整数とし, $\sin^0 x = 1$ とする。

$$I_n = \frac{1}{n}\{-\sin^{n-1} x \cos x + (n-1)I_{n-2}\}$$

PRACTICE (重要) **122** n は 2 以上の整数とする。次の等式が成り立つことを証明せよ。ただし，$\cos^0 x = 1$，$\tan^0 x = 1$ とする。

(1) $\displaystyle \int \cos^n x\, dx = \frac{1}{n}\left\{ \sin x \cos^{n-1} x + (n-1)\int \cos^{n-2} x\, dx \right\}$

(2) $\displaystyle \int \tan^n x\, dx = \frac{1}{n-1}\tan^{n-1} x - \int \tan^{n-2} x\, dx$

重要 例題 123 　　　　　　　　　　　　　　　　　　　　　　　□ ▷ 解説動画

(1) 不定積分 $\displaystyle\int \dfrac{1}{\sqrt{x^2+1}}\,dx$ を $\sqrt{x^2+1}+x=t$ の置換により求めよ。

(2) (1) の結果を利用して，不定積分 $\displaystyle\int \sqrt{x^2+1}\,dx$ を求めよ。

PRACTICE (重要) **123** (1) 不定積分 $\displaystyle\int \frac{1}{\sqrt{x^2+2x+2}}\,dx$ を $\sqrt{x^2+a}+x=t$ (a は定数) の置換により求めよ。

(2) (1) の結果を利用して，不定積分 $\displaystyle\int \sqrt{x^2+2x+2}\,dx$ を求めよ。

重 **要** 例題 124

(1) $\tan\dfrac{x}{2}=t$ とおくとき，$\sin x$，$\dfrac{dx}{dt}$ を t で表せ。

(2) (1)を利用して，不定積分 $\displaystyle\int \dfrac{dx}{\sin x+1}$ を求めよ。

PRACTICE (重要) **124**　$\tan\dfrac{x}{2}=t$ とおくことにより，不定積分 $\displaystyle\int \dfrac{5}{3\sin x + 4\cos x}\,dx$ を求めよ。

１４．定積分とその基本性質

基本 例題 125

次の定積分を求めよ。

(1) $\displaystyle\int_1^4 \frac{(x+1)^2}{\sqrt{x}}\,dx$

(2) $\displaystyle\int_0^1 \frac{1}{(x-2)(x-3)}\,dx$

(3) $\displaystyle\int_0^\pi \sin x \cos 2x\,dx$

PRACTICE (基本) **125** 次の定積分を求めよ。

(1) $\displaystyle \int_1^3 \frac{(x^2-1)^2}{x^4} dx$

(2) $\displaystyle \int_1^3 \frac{dx}{x^2-4x}$

(3) $\displaystyle \int_0^1 \frac{x^2+2}{x+2} dx$

(4) $\displaystyle\int_0^1 (e^{2x} - e^{-x})^2 dx$

(5) $\displaystyle\int_0^{2\pi} \cos^4 x\, dx$

(6) $\displaystyle\int_{\frac{\pi}{6}}^{\frac{\pi}{2}} \sin x \sin 3x\, dx$

基 本 例題 126

次の定積分の値を求めよ。

(1) $\displaystyle\int_0^2 |e^x - 2|\, dx$

(2) $\displaystyle\int_0^\pi |\sin x \cos x|\, dx$

PRACTICE (基本) **126**　次の定積分を求めよ。

(1)　$\displaystyle\int_{\frac{1}{e}}^{e} |\log x|\,dx$

(2)　$\displaystyle\int_{-2}^{3} \sqrt{|x-2|}\,dx$

重要 例題 127

次のことを証明せよ。ただし，m，n は自然数とする。

$$\int_0^\pi \sin mx \cos nx\,dx = \begin{cases} 0 & (m+n \text{ が偶数}) \\ \dfrac{2m}{m^2-n^2} & (m+n \text{ が奇数}) \end{cases}$$

PRACTICE (重要) 127　　m, n が自然数のとき，定積分 $I = \displaystyle\int_0^{2\pi} \cos mx \cos nx\, dx$ を求めよ。

１５．定積分の置換積分法，部分積分法

基本 例題 128

次の定積分を求めよ。

(1) $\displaystyle\int_0^1 x\sqrt{1-x^2}\,dx$

(2) $\displaystyle\int_1^2 \frac{x-1}{x^2-2x+2}\,dx$

(3) $\displaystyle\int_1^e \frac{\log x}{x}\,dx$

PRACTICE (基本) **128** 次の定積分を求めよ。

(1) $\displaystyle\int_0^1 \frac{x}{\sqrt{2-x^2}}\,dx$

(2) $\displaystyle\int_1^e 5^{\log x}\,dx$

(3) $\displaystyle\int_0^{\frac{\pi}{2}} \frac{\sin 2x}{3+\cos^2 x}\,dx$

(4) $\displaystyle\int_0^{\frac{\pi}{2}} \sin^2 x\cos^3 x\,dx$

基 本 例題 129

解説動画

次の定積分を求めよ。

(1) $\displaystyle\int_0^1 \sqrt{4-x^2}\,dx$

(2) $\displaystyle\int_0^1 \frac{dx}{\sqrt{4-x^2}}$

PRACTICE (基本) 129　次の定積分を求めよ。

(1) $\displaystyle\int_{-1}^{\frac{\sqrt{3}}{2}} \sqrt{1-x^2}\,dx$

(2) $\displaystyle\int_0^2 \frac{dx}{\sqrt{16-x^2}}$

(3) $\displaystyle\int_0^{\frac{1}{2}} \frac{x^2}{\sqrt{1-x^2}}dx$

基本 例題 130

次の定積分を求めよ。

(1) $\displaystyle\int_0^1 \frac{dx}{x^2+3}$

(2) $\displaystyle\int_1^2 \frac{dx}{x^2-2x+2}$

PRACTICE (基本) **130**　次の定積分を求めよ。

(1) $\displaystyle\int_{-1}^{\sqrt{3}} \frac{dx}{x^2+1}$

(2) $\displaystyle\int_0^1 \frac{dx}{x^2+x+1}$

基本 例題 131

次の定積分を求めよ。

(1) $\displaystyle\int_{-\frac{\pi}{2}}^{\frac{\pi}{2}} \cos^3 x\, dx$

(2) $\displaystyle\int_{-e}^{e} x e^{x^2}\, dx$

PRACTICE (基本) 131　次の定積分を求めよ。

(1) $\displaystyle\int_{-a}^{a} x^3 \sqrt{a^2 - x^2}\, dx$

(2) $\displaystyle\int_{-\pi}^{\pi}\cos x\sin^3 x\,dx$

(3) $\displaystyle\int_{-\frac{\pi}{4}}^{\frac{\pi}{4}}\sin^4 x\cos x\,dx$

(4) $\displaystyle\int_{-1}^{1}(e^x-e^{-x}-1)\,dx$

基 本 例題 132

解説動画

次の定積分を求めよ。

(1) $\displaystyle\int_0^{\frac{\pi}{3}} x\sin 2x\,dx$

(2) $\displaystyle\int_1^e \log x\,dx$

PRACTICE (基本) **132**　次の定積分を求めよ。

(1) $\displaystyle\int_0^1 (1-x)e^x\,dx$

(2) $\displaystyle\int_1^e (x-1)\log x\,dx$

(3) $\displaystyle\int_0^1 xe^{-2x}\,dx$

(4) $\displaystyle\int_0^\pi x\cos\frac{x+\pi}{4}\,dx$

重 要 例題 133 □ ▷ 解説動画

次の定積分を求めよ。

(1) $\displaystyle\int_2^3 (x^2+5)e^x dx$

(2) $\displaystyle\int_0^\pi e^x \sin x\, dx$

PRACTICE (重要) **133** 次の定積分を求めよ。

(1) $\displaystyle \int_{-1}^{1}(1-x^2)e^{-2x}dx$

(2) $\displaystyle \int_{0}^{\pi}e^{-x}\cos x\,dx$

重要 例題 134

x の関数 $f(x)$ が閉区間 $[0,\ 1]$ で連続である。

(1) $x=\pi-t$ とおくことによって，次の等式が成立することを示せ。

$$\int_{\frac{\pi}{2}}^{\pi} xf(\sin x)\,dx = \int_0^{\frac{\pi}{2}} (\pi-x)f(\sin x)\,dx$$

(2) 等式 $\displaystyle\int_0^{\pi} xf(\sin x)\,dx = \pi\int_0^{\frac{\pi}{2}} f(\sin x)\,dx$ が成立することを示せ。

(3) $\displaystyle\int_0^{\pi} x\sin^2 x\,dx$ の値を求めよ。

PRACTICE (重要) **134** $f(x)$ が $0 \leqq x \leqq 1$ で連続な関数であるとき $\displaystyle\int_0^\pi xf(\sin x)\,dx = \frac{\pi}{2}\int_0^\pi f(\sin x)\,dx$

が成立することを示し，これを用いて定積分 $\displaystyle\int_0^\pi \frac{x\sin x}{3+\sin^2 x}\,dx$ を求めよ。

重要 例題 135

$x = \dfrac{\pi}{2} - t$ とおいて，定積分 $I = \displaystyle\int_0^{\frac{\pi}{2}} \dfrac{\sin x}{\sin x + \cos x}\,dx$ を求めよ。

PRACTICE (重要) **135** $\dfrac{\pi}{2}-x=t$ とおいて，$\displaystyle\int_0^{\frac{\pi}{2}}\left(\dfrac{x\sin x}{1+\cos x}+\dfrac{x\cos x}{1+\sin x}\right)dx$ を求めよ。

重要 例題 136

$I_n = \displaystyle\int_0^{\frac{\pi}{2}} \sin^n x\, dx$, $J_n = \displaystyle\int_0^{\frac{\pi}{2}} \cos^n x\, dx$ (n は 0 以上の整数) とする。

(1) $\sin^0 x = 1$, $\cos^0 x = 1$ とするとき, 次の等式が成り立つことを証明せよ。

[1] $I_n = J_n$ ($n \geqq 0$)

[2] $I_0 = \dfrac{\pi}{2}$, $n \geqq 1$ のとき $I_{2n} = \dfrac{2n-1}{2n} \cdot \dfrac{2n-3}{2n-2} \cdot \cdots\cdots \cdot \dfrac{3}{4} \cdot \dfrac{1}{2} \cdot \dfrac{\pi}{2}$

(2) (1) の結果を利用して，定積分 $\displaystyle\int_0^{\frac{\pi}{2}} \cos^6 x\, dx$ を求めよ。

PRACTICE (重要) **136** $I_n = \displaystyle\int_0^{\frac{\pi}{2}} \sin^n x \, dx$ (n は 1 以上の整数) とする。

(1) 次の等式が成り立つことを証明せよ。

$$I_1 = 1, \quad n \geqq 2 \text{ のとき} \quad I_{2n-1} = \frac{2n-2}{2n-1} \cdot \frac{2n-4}{2n-3} \cdot \cdots\cdots \cdot \frac{4}{5} \cdot \frac{2}{3} \cdot 1$$

(2) (1) を利用して，次の定積分を求めよ。

(ア) $\displaystyle \int_0^{\frac{\pi}{2}} \sin^7 x \, dx$

(イ) $\displaystyle \int_0^{\frac{\pi}{2}} \sin^3 x \cos^2 x \, dx$

62

１６．定積分で表された関数

基 本 例題 137

次の関数を x で微分せよ。

(1) $f(x) = \displaystyle\int_0^x (x+t)e^t dt$

(2) $f(x) = \displaystyle\int_x^{x^2} t\log t \, dt \ (x>0)$

PRACTICE (基本) **137**　次の関数を x で微分せよ。

(1) $\displaystyle\int_0^x x\sqrt{t}\,dt \ (x>0)$

(2) $\displaystyle\int_x^{2x+1} \frac{1}{t^2+1}\,dt$

(3) $\displaystyle\int_{-x}^{\sqrt{x}} t\cos t\, dt$

(4) $\displaystyle\int_{0}^{x} (x-t)^2 \sin t\, dt$

基本 例題 138

解説動画

関数 $f(x) = \displaystyle\int_0^x (1 - t^2)e^t dt$ の極値を求めよ。

PRACTICE (基本) **138** 関数 $f(x) = \displaystyle\int_{\frac{\pi}{3}}^{x} (t-x)\sin t\, dt \left(-\dfrac{\pi}{2} < x < \dfrac{\pi}{2}\right)$ の極値を求めよ。

基本 例題 139

$f(x) = \cos x + \displaystyle\int_0^{\frac{\pi}{3}} f(t) \tan t \, dt$ を満たす関数 $f(x)$ を求めよ。

PRACTICE (基本) **139** 次の等式を満たす関数 $f(x)$ を求めよ。

(1) $f(x) = x^2 + \displaystyle\int_0^1 f(t) e^t \, dt$

(2) $f(x) = \sin x - \displaystyle\int_0^{\frac{\pi}{3}} \left\{ f(t) - \frac{\pi}{3} \right\} \sin t \, dt$

(3) $f(x) = e^x \displaystyle\int_0^1 \{ f(t) \}^2 dt$

基本 例題 140

関数 $f(x)$ は微分可能で $f(x) = x^2 e^{-x} + \displaystyle\int_0^x e^{t-x} f(t)\, dt$ を満たすものとする。

(1) $f(0)$, $f'(0)$ を求めよ。

(2) $f'(x)$ を求めよ。

(3) $f(x)$ を求めよ。

PRACTICE (基本) **140**　連続な関数 $f(x)$ が

$\displaystyle\int_a^x (x-t)f(t)dt = 2\sin x - x + b$ $\left(a,\ b\ は定数で,\ 0 \leqq a \leqq \dfrac{\pi}{2}\right)$ を満たすとする。次のものを求めよ。

(1)　$\displaystyle\int_a^x f(t)dt$

(2)　$f(x)$

(3)　定数 $a,\ b$ の値

基本 例題 141

積分 $\displaystyle\int_0^{\frac{\pi}{2}} (\sin x - kx)^2 dx$ の値を最小にする実数 k の値と，そのときの積分値を求めよ。

PRACTICE (基本) **141**　定積分 $\displaystyle\int_0^1 (\sqrt{1-x} - ax + 1)^2 dx$　(a は定数) を最小とする a の値を求めよ。

重 要 例題 142

実数 t が $1 \leqq t \leqq e$ の範囲を動くとき，$S(t) = \displaystyle\int_0^1 |e^x - t| \, dx$ の最大値と最小値を求めよ。

PRACTICE (重要) **142** 実数 $a > 0$ について，$I(a) = \int_1^e |\log ax| dx$ とする。$I(a)$ の最小値，およびそのときの a の値を求めよ。

重 要 例題 143

$f(x) = \int_{\frac{\pi}{4}}^{x} (\sin t + \cos t)^4 dt$ とするとき，$\displaystyle \lim_{x \to \frac{\pi}{4}} \frac{f(x)}{x - \dfrac{\pi}{4}}$ を求めよ。

PRACTICE (重要) 143　次の極限を求めよ。

(1)　$\displaystyle \lim_{x \to 0} \frac{1}{x} \int_{0}^{x} 2t e^{t^2} dt$

(2)　$\displaystyle \lim_{x \to 1} \frac{1}{x - 1} \int_{1}^{x} \frac{1}{\sqrt{t^2 + 1}} dt$

17．定積分と和の極限，不等式

基 本 例題 144

次の極限値を求めよ。

(1) $\displaystyle\lim_{n\to\infty}\left(\frac{1}{2n+1}+\frac{1}{2n+2}+\cdots\cdots+\frac{1}{3n}\right)$

(2) $\displaystyle\lim_{n\to\infty}\frac{\pi}{n^2}\sum_{k=1}^{n}k\sin\frac{3k}{n}\pi$

PRACTICE (基本) **144** 次の極限値を求めよ。

(1) $\displaystyle\lim_{n\to\infty}\frac{1}{n\sqrt{n}}(\sqrt{2}+\sqrt{4}+\cdots\cdots+\sqrt{2n})$

(2) $\displaystyle\lim_{n\to\infty}\frac{\pi}{n}\sum_{k=1}^{n}\cos\frac{k\pi}{2n}$

(3) $\displaystyle\lim_{n\to\infty}\left(\frac{1}{n^2+1^2}+\frac{2}{n^2+2^2}+\frac{3}{n^2+3^2}+\cdots\cdots+\frac{n}{n^2+n^2}\right)$

(4) $\displaystyle\lim_{n\to\infty}\left(\frac{n+1}{n^2}\log\frac{n+1}{n}+\frac{n+2}{n^2}\log\frac{n+2}{n}+\cdots\cdots+\frac{n+n}{n^2}\log\frac{n+n}{n}\right)$

基本 例題 145

(1) $0\leqq x\leqq 1$ のとき,不等式 $\dfrac{1}{1+x^2}\leqq\dfrac{1}{1+x^4}$ が成り立つことを示せ。

(2) 不等式 $\dfrac{\pi}{4}<\displaystyle\int_0^1\dfrac{dx}{1+x^4}<1$ を示せ。

PRACTICE (基本) 145　(1)　定積分 $\displaystyle\int_0^{\frac{1}{\sqrt{2}}} \frac{1}{\sqrt{1-x^2}}dx$ の値を求めよ。

(2)　n を 2 以上の自然数とするとき，次の不等式が成り立つことを示せ。

$$\frac{1}{\sqrt{2}} \leqq \int_0^{\frac{1}{\sqrt{2}}} \frac{1}{\sqrt{1-x^n}}dx \leqq \frac{\pi}{4}$$

基 本 例題 146

$n \geqq 2$ とする。定積分を利用して，次の不等式を証明せよ。

$$\frac{1}{1^2} + \frac{1}{2^2} + \frac{1}{3^2} + \cdots\cdots + \frac{1}{n^2} < 2 - \frac{1}{n}$$

PRACTICE (基本) **146** 不等式 $\dfrac{1}{n} + \log n \leqq \displaystyle\sum_{k=1}^{n} \dfrac{1}{k} \leqq 1 + \log n$ を証明せよ。

重要 例題 147

極限値 $S = \lim\limits_{n\to\infty} \sum\limits_{k=n+1}^{3n} \dfrac{1}{2n+k}$ を求めよ。

PRACTICE (重要) 147　次の極限値を求めよ。

(1)　$\lim\limits_{n\to\infty} \dfrac{1}{n}\left\{\left(\dfrac{1}{n}\right)^2 + \left(\dfrac{2}{n}\right)^2 + \left(\dfrac{3}{n}\right)^2 + \cdots\cdots + \left(\dfrac{3n}{n}\right)^2\right\}$

(2) $\displaystyle\lim_{n\to\infty}\frac{1}{n}\sum_{k=n+1}^{2n}\frac{n+1}{n+k}$

84

(1) $f(x)$, $g(x)$ はともに区間 $a \leqq x \leqq b$ $(a < b)$ で定義された連続な関数とする。このとき，t を任意の実数として $\displaystyle\int_a^b \{f(x) + tg(x)\}^2 dx$ を考えることにより，次の不等式が成立することを示せ。

$$\left\{\int_a^b f(x)g(x)dx\right\}^2 \leqq \left(\int_a^b \{f(x)\}^2 dx\right)\left(\int_a^b \{g(x)\}^2 dx\right) \quad \cdots\cdots \text{[A]}$$

また，等号はどのようなときに成立するかを述べよ。

⑵　$f(x)$ は区間 $0 \leqq x \leqq \pi$ で定義された連続関数で

$$\left\{ \int_0^\pi (\sin x + \cos x) f(x) dx \right\}^2 = \pi \int_0^\pi \{f(x)\}^2 dx, \quad \text{および} \quad f(0) = 1$$

を満たしている。このとき，$f(x)$ を求めよ。

PRACTICE (重要) **148** (1)　$f(t)$ と $g(t)$ を t の関数とする。x と p を実数とするとき，

$\displaystyle\int_{-1}^{x}\{f(t)+pg(t)\}^2dt$ の性質を用いて，次の不等式を導け。

$$\left\{\int_{-1}^{x}f(t)g(t)dt\right\}^2 \leqq \left(\int_{-1}^{x}\{f(t)\}^2dt\right)\left(\int_{-1}^{x}\{g(t)\}^2dt\right)$$

(2) (1) を利用して，$\left\{-\dfrac{1}{\pi}(x+1)\cos\pi x+\dfrac{1}{\pi^2}\sin\pi x\right\}^2 \leqq \dfrac{1}{3}(x+1)^3\left(\dfrac{x+1}{2}-\dfrac{1}{4\pi}\sin 2\pi x\right)$ を示せ。

重要 例題 149

O を中心とする半径 1 の円 C の内部に中心と異なる定点 A がある。半直線 OA と C との交点を P_0 とし，P_0 を起点として C の周を n 等分する点を反時計回りに順に P_0，P_1，P_2，……，$P_n = P_0$ とする。A と P_k の距離を $\overline{AP_k}$ とするとき，$\displaystyle \lim_{n \to \infty} \frac{1}{n} \sum_{k=1}^{n} \overline{AP_k}^2$ を求めよ。ただし，$\overline{OA} = a$ とする。

PRACTICE (重要) **149**　曲線 $y=\sqrt{4-x}$ を C とする。$t\,(2\leqq t\leqq 3)$ に対して，曲線 C 上の点 $(t,\ \sqrt{4-t})$ と原点，点 $(t,\ 0)$ の 3 点を頂点とする三角形の面積を $S(t)$ とする。区間 $[2,\ 3]$ を n 等分し，その端点と分点を小さい方から順に $t_0=2,\ t_1,\ t_2,\ \cdots\cdots,\ t_{n-1},\ t_n=3$ とするとき，極限値 $\displaystyle\lim_{n\to\infty}\frac{1}{n}\sum_{k=1}^{n}S(t_k)$ を求めよ。

重要 例題 150

自然数 n に対して，$I(n) = \displaystyle\int_0^1 x^n e^{-x^2} dx$ とする。

(1) 等式 $I(n+2) = -\dfrac{1}{2}e^{-1} + \dfrac{n+1}{2}I(n)$ が成り立つことを示せ。

(2) 不等式 $0 \leqq I(n) \leqq \dfrac{1}{n+1}$ が成り立つことを示せ。

(3) $\displaystyle\lim_{n\to\infty} nI(n)$ を求めよ。

PRACTICE (重要) 150 　自然数 $n = 1,\ 2,\ 3,\ \cdots\cdots$ に対して，$I_n = \displaystyle\int_0^1 \dfrac{x^n}{1+x} dx$ とする。

(1) I_1 を求めよ。更に，すべての自然数 n に対して，$I_n + I_{n+1} = \dfrac{1}{n+1}$ が成り立つことを示せ。

(2)　不等式 $\dfrac{1}{2(n+1)} \leqq I_n \leqq \dfrac{1}{n+1}$ が成り立つことを示せ。

(3)　これらの結果を使って，$\log 2 = \displaystyle\lim_{n \to \infty} \sum_{k=1}^{n} \dfrac{(-1)^{k-1}}{k}$ が成り立つことを示せ。

18. 面積

基 本 例題 151

解説動画

曲線 $y=(3-x)e^x$ と x 軸, 直線 $x=0$, $x=2$ で囲まれた部分の面積 S を求めよ。

PRACTICE (基本) **151**   次の曲線と x 軸で囲まれた部分の面積 S を求めよ。

(1) $y = 2\sin x - \sin 2x \ (0 \leqq x \leqq 2\pi)$

(2)　$y = 10 - 9e^{-x} - e^{x}$

基本 例題 152

次の 2 つの曲線で囲まれた部分の面積 S を求めよ。

$$y = \sin x, \ \ y = \cos 2x \quad (0 \leqq x \leqq \pi)$$

PRACTICE (基本) **152**　次の曲線や直線によって囲まれた部分の面積 S を求めよ。

(1)　$y = \sin x$，$y = \sin 3x$　$(0 \leqq x \leqq \pi)$

(2)　$y = xe^x$，$y = e^x$，y 軸

基本 例題 153

$a>0$ とし，座標平面上の点 $A(a, 0)$ から曲線 $C：y=\dfrac{1}{x}$ に引いた接線 ℓ の方程式を求めよ。また，曲線 C と接線 ℓ，および直線 $x=a$ で囲まれた部分の面積 S を求めよ。

PRACTICE (基本) **153**

点 $(0, 1)$ から曲線 $C : y = e^{ax} + 1$ に引いた接線を ℓ とする。ただし，$a > 0$ とする。

(1) 接線 ℓ の方程式を求めよ。

(2) 曲線 C と接線 ℓ，および y 軸とで囲まれる部分の面積を求めよ。

基本 例題 154

曲線 $x = y^2 - 1$ と直線 $x - y - 1 = 0$ で囲まれた部分の面積 S を求めよ。

PRACTICE (基本) **154** 次の曲線と直線で囲まれた部分の面積 S を求めよ。

(1) $x = -1 - y^2$, $y = -1$, $y = 2$, y 軸

(2)　$y^2 = x$,　$x + y - 6 = 0$

(3)　$y = \log(1 - x)$,　$y = -1$,　y軸

基本 例題 155

曲線 $2x^2+2xy+y^2=1$ によって囲まれた部分の面積 S を求めよ。

PRACTICE (基本) **155**　曲線 $(x^2-2)^2+y^2=4$ で囲まれた部分の面積 S を求めよ。

基 本 例題 156

曲線 $x=a(t+\sin t)$, $y=a(1-\cos t)$ $(0 \le t \le 2\pi)$ と x 軸で囲まれた部分の面積 S を求めよ。ただし，$a>0$ とする。

PRACTICE (基本) **156** 次の曲線や直線によって囲まれた部分の面積 S を求めよ。

(1) $\begin{cases} x = 3t^2 \\ y = 3t - t^3 \end{cases}$ $(t \geqq 0)$, x 軸

(2) $\begin{cases} x = t - \sin t \\ y = 1 - \cos t \end{cases}$ $(0 \leqq t \leqq \pi)$, x 軸, $x = \pi$

基本 例題 157

r を正の定数とする。2曲線 $y = r\sin x$, $y = \cos x$ $\left(0 \leqq x \leqq \dfrac{\pi}{2}\right)$ の共有点の x 座標を α とし,この2曲線と y 軸で囲まれた図形の面積を S とする。

(1) S を α と r の式で表せ。

(2) $\sin^2 \alpha$ を α を用いずに r の式で表せ。

(3) $S = \dfrac{1}{2}$ となるような r の値を求めよ。

PRACTICE (基本) **157**　$0 \leqq x \leqq \dfrac{\pi}{2}$ の範囲で，2曲線 $y = \tan x$，$y = a \sin 2x$ と x 軸で囲まれた図形の面積が 1 となるように，正の実数 a の値を定めよ。

曲線 $y = \log x$ 上の点 $(a,\ \log a)$ において接線 ℓ_a を引く。

(1) ℓ_a と平行な直線で，点 $(1,\ 0)$ を通るものを求めよ。

(2) 曲線 $y = \log x$ および 2 直線 $x = 3$，$y = 0$ で囲まれた部分の面積が，(1) で求めた直線によって，2 等分されるときの a の値を求めよ。

PRACTICE (重要) **158** a は $0 < a < 2$ を満たす定数とする。$0 \leqq x \leqq \dfrac{\pi}{2}$ のとき,曲線 $y = \sin 2x$ と x 軸で囲まれた部分の面積を,曲線 $y = a\sin x$ が 2 等分するように a の値を定めよ。

曲線 C : $y = \sin x$ $\left(0 \leqq x \leqq \dfrac{\pi}{2}\right)$ 上に点 $(a, \sin a)$ $\left(0 < a < \dfrac{\pi}{2}\right)$ をとる。

$0 \leqq x \leqq a$ の範囲で，2 つの直線 $x = 0$，$y = \sin a$ と曲線 C で囲まれた部分の面積を S_1 とする。また，

$a \leqq x \leqq \dfrac{\pi}{2}$ の範囲で，2 つの直線 $x = \dfrac{\pi}{2}$，$y = \sin a$ と曲線 C で囲まれた部分の面積を S_2 とする。

(1) S_1，S_2 を a の式で表せ。

(2) a が $0 < a < \dfrac{\pi}{2}$ の範囲を動くとき，$S_1 + S_2$ の最小値を求めよ。

PRACTICE (重要) **159** 曲線 $C:y=xe^{-x}$ 上の点 P において接線 ℓ を引く。P の x 座標 t が $0 \leqq t \leqq 1$ にあるとき，曲線 C と 3 つの直線 ℓ，$x=0$，$x=1$ で囲まれた 2 つの部分の面積の和の最小値を求めよ。

重 要 **例題** 160

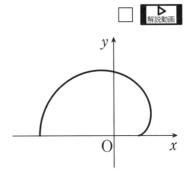

媒介変数 t によって,

$x = 2\cos t - \cos 2t$, $y = 2\sin t - \sin 2t$ $(0 \le t \le \pi)$

と表される右図の曲線と, x 軸で囲まれた図形の面積 S を求めよ。

PRACTICE (重要) **160** 媒介変数 t によって，$x=2t+t^2$，$y=t+2t^2$ $(-2 \leqq t \leqq 0)$ と表される曲線と，y 軸で囲まれた図形の面積 S を求めよ。

重要 例題 161

曲線 $y=e^{-x}$ を C とする。

(1) C 上の点 $P_1(0,\ 1)$ における接線と x 軸との交点を Q_1 とし，Q_1 を通り x 軸に垂直な直線と C との交点を P_2 とする。C および 2 つの線分 P_1Q_1，Q_1P_2 で囲まれる部分の面積 S_1 を求めよ。

(2) 自然数 n に対して，P_n から Q_n，P_{n+1} を次のように定める。C 上の点 P_n における接線と x 軸との交点を Q_n とし，Q_n を通り x 軸に垂直な直線と C との交点を P_{n+1} とする。C および 2 つの線分 P_nQ_n，Q_nP_{n+1} で囲まれる部分の面積 S_n を求めよ。

(3) 無限級数 $\displaystyle\sum_{n=1}^{\infty} S_n$ の和を求めよ。

PRACTICE (重要) **161** n は自然数とする。$(n-1)\pi \leqq x \leqq n\pi$ の範囲で，曲線 $y = x\sin x$ と x 軸によって囲まれた部分の面積を S_n とする。

(1) S_n を n の式で表せ。

(2) 無限級数 $\displaystyle\sum_{n=1}^{\infty} \frac{1}{S_n S_{n+1}}$ の和を求めよ。

重要 例題 162

解説動画

方程式 $\sqrt{2}(x-y)=(x+y)^2$ で表される曲線 A について，次のものを求めよ。

(1) 曲線 A を原点 O を中心として $\dfrac{\pi}{4}$ だけ回転させてできる曲線の方程式

(2) 曲線 A と直線 $x=\sqrt{2}$ で囲まれる図形の面積 S

PRACTICE (重要) **162** a は 1 より大きい定数とする。曲線 $x^2 - y^2 = 2$ と直線 $x = \sqrt{2}\,a$ で囲まれた図形の面積 S を，原点を中心とする $\dfrac{\pi}{4}$ の回転移動を考えることにより求めよ。

重要 例題 163

極方程式 $r=f(\theta)$ $(\alpha \leqq \theta \leqq \beta)$ で表される曲線上の点と極 O を結んだ線分が通過する領域の面積は $S=\dfrac{1}{2}\displaystyle\int_{\alpha}^{\beta} r^2 d\theta$ と表される。これを用いて，極方程式 $r=2(1+\cos\theta)$ $\left(0 \leqq \theta \leqq \dfrac{\pi}{2}\right)$ で表される曲線上の点と極 O を結んだ線分が通過する領域の面積を求めよ。

PRACTICE (重要) 163　極方程式 $r=f(\theta)$ $(\alpha \leqq \theta \leqq \beta)$ で表される曲線上の点と極 O を結んだ線分が通過する領域の面積は $S=\dfrac{1}{2}\displaystyle\int_{\alpha}^{\beta} r^2 d\theta$ と表される。これを用いて，極方程式 $r=1+\sin\dfrac{\theta}{2}$ $(0 \leqq \theta \leqq \pi)$ で表される曲線 C と x 軸で囲まれる領域の面積を求めよ。

19. 体積

基本 例題 164

x 軸上に点 $P(x, 0)$ $(-1 \leqq x \leqq 1)$ をとる。P を通り x 軸に垂直な直線と曲線 $y=4-x^2$ との交点を Q とし、線分 PQ を1辺とする正三角形 PQR を x 軸に垂直な平面内に作る。P が点 $(-1, 0)$ から点 $(1, 0)$ まで移動するとき、正三角形 PQR が通過してできる立体の体積 V を求めよ。

PRACTICE (基本) **164** 関数 $y=\sin x$ $(0 \leqq x \leqq \pi)$ の表す曲線上に点 P がある。点 P を通り y 軸に平行な直線が x 軸と交わる点を Q とする。線分 PQ を1辺とする正方形を xy 平面の一方の側に垂直に作る。点 P の x 座標が 0 から π まで変わるとき、この正方形が通過してできる立体の体積 V を求めよ。

基本 例題 165

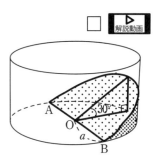

底面の半径が a で高さも a である直円柱がある。

この底面の直径 AB を含み底面と $30°$ の傾きをなす平面で，直円柱を
2 つの立体に分けるとき，小さい方の立体の体積 V を求めよ。

PRACTICE (基本) **165**　底面の半径 a，高さ $2a$ の直円柱を底面の直径を含み底面に垂直な平面で切って得られる半円柱がある。底面の直径を AB，上面の半円の弧の中点を C として，3 点 A，B，C を通る平面でこの半円柱を 2 つに分けるとき，その下側の立体の体積 V を求めよ。

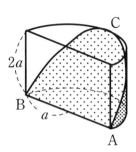

基本 例題 166　　　　　　　　　　　　　　□ ▷ 解説動画

放物線 $y=-x^2+4x$ と直線 $y=x$ で囲まれた部分を，x 軸の周りに 1 回転してできる立体の体積 V を求めよ。

PRACTICE (基本) 166

次の曲線や直線で囲まれた部分を，x 軸の周りに 1 回転してできる立体の体積 V を求めよ。

(1) $y=2\sin 2x$, $y=\tan x$ $\left(0\leqq x<\dfrac{\pi}{2}\right)$

(2) $y = \cos x \ \left(0 \leqq x \leqq \dfrac{\pi}{2} \right), \ \ y = -\dfrac{2}{\pi} x + 1$

基 本 例題 167

放物線 $y=x^2-2x$ と直線 $y=-x+2$ で囲まれた部分を x 軸の周りに 1 回転してできる立体の体積 V を求めよ。

PRACTICE (基本) **167** 不等式 $-\sin x \leqq y \leqq \cos 2x$, $0 \leqq x \leqq \dfrac{\pi}{2}$ で定められる領域を x 軸の周りに 1 回転してできる立体の体積 V を求めよ。

基本 例題 168

次の回転体の体積 V を求めよ。

(1) 楕円 $\dfrac{x^2}{9} + \dfrac{y^2}{4} = 1$ を y 軸の周りに 1 回転してできる回転体

(2) 2 曲線 $y = x^2$, $y = \sqrt{x}$ で囲まれた部分を y 軸の周りに 1 回転してできる回転体

PRACTICE (基本) 168

次の曲線や直線で囲まれた部分を y 軸の周りに 1 回転してできる回転体の体積 V を求めよ。

(1) $y = \log(x^2 + 1)$ $(0 \leqq x \leqq 1)$, $y = \log 2$, y 軸

(2) $y=e^x$, $y=e$, y軸

基 本 例題 169

曲線 $y=\cos x$ $(0\leqq x\leqq \pi)$, $y=-1$, y軸で囲まれた部分を y軸の周りに 1 回転してできる立体の体積 V を求めよ。

PRACTICE (基本) **169** (1) 曲線 $y=x^3-2x^2+3$ と x 軸, y 軸で囲まれた部分を y 軸の周りに 1 回転してできる立体の体積 V を求めよ。

(2) 関数 $f(x) = xe^x + \dfrac{e}{2}$ について，曲線 $y = f(x)$ と y 軸および直線 $y = f(1)$ で囲まれた図形を y 軸の周りに 1 回転してできる立体の体積 V を求めよ。

基本 例題 170

曲線 $x=\tan\theta$ ，$y=\cos2\theta$ $\left(-\dfrac{\pi}{2}<\theta<\dfrac{\pi}{2}\right)$ と x 軸で囲まれる部分を，x 軸の周りに 1 回転してできる立体の体積 V を求めよ。

PRACTICE (基本) **170**　曲線 $C: x = \cos t$, $y = 2\sin^3 t$ $\left(0 \leqq t \leqq \dfrac{\pi}{2}\right)$ がある。

(1)　曲線 C と x 軸および y 軸で囲まれる図形の面積を求めよ。

(2) (1) で考えた図形を y 軸の周りに 1 回転させて得られる回転体の体積を求めよ。

基本 例題 171

□ ▷ 解説動画

水を満たした半径 r の半球形の容器がある。これを静かに角 α だけ
傾けたとき，こぼれ出た水の量を r, α で表せ。
（α は弧度法で表された角とする。）

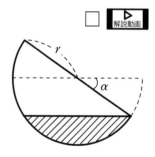

PRACTICE (基本) **171**　水を満たした半径 2 の半球形の容器がある。これを静かに角 α 傾けたとき，水面が h だけ下がり，こぼれ出た水の量と容器に残った水の量の比が $11:5$ になった。h と α の値を求めよ。ただし，α は弧度法で答えよ。

重要 例題 172

曲線 $y=-\sqrt{2}\,x^2+x$ …… ① と直線 $y=-x$ …… ② とで囲まれる部分を，直線 ② の周りに 1 回転してできる立体の体積 V を求めよ。

PRACTICE (重要) **172**　曲線 $C : y = x^3$ 上に 2 点 O $(0,\ 0)$，A $(1,\ 1)$ をとる。曲線 C と線分 OA で囲まれた部分を，直線 OA の周りに 1 回転してできる回転体の体積 V を求めよ。

解説動画

重要 **例題 173**

xyz 空間において，次の連立不等式が表す立体を考える。

$$0 \leqq x \leqq 1, \ 0 \leqq y \leqq 1, \ 0 \leqq z \leqq 1, \ x^2 + y^2 + z^2 - 2xy - 1 \geqq 0$$

(1) この立体を平面 $z = t$ で切ったときの断面を xy 平面に図示し，この断面の面積 $S(t)$ を求めよ。

(2) この立体の体積 V を求めよ。

PRACTICE (重要) **173** r を正の実数とする。xyz 空間において,連立不等式

$$x^2 + y^2 \leqq r^2, \quad y^2 + z^2 \geqq r^2, \quad z^2 + x^2 \leqq r^2$$

を満たす点全体からなる立体の体積を,平面 $x = t$ $(0 \leqq t \leqq r)$ による切り口を考えることにより求めよ。

重 要 例題 174

座標空間内の 2 点 A (0, 1, 0), B (1, 0, 2) を通る直線を ℓ とし, 直線 ℓ を x 軸の周りに 1 回転して得られる図形を M とする。

(1) x 座標の値が t であるような直線 ℓ 上の点 P の座標を求めよ。

(2) 図形 M と 2 つの平面 $x=0$ と $x=1$ で囲まれた立体の体積を求めよ。

PRACTICE (重要) **174**　xyz 空間において, 2 点 P$(1,\ 0,\ 1)$, Q$(-1,\ 1,\ 0)$ を考える。線分 PQ を x 軸の周りに 1 回転して得られる立体を S とする。立体 S と, 2 つの平面 $x=1$ および $x=-1$ で囲まれる立体の体積を求めよ。

２０．種々の量の計算

基本 例題 175

原点を出発して x 軸上を運動する点 P の時刻 t における速度 v が $v=\sqrt{3}\sin \pi t+\cos \pi t$ で与えられ，$t=0$ のとき P は原点にいる。

(1) 点 P が出発後初めて停止する瞬間の点 P の座標を求めよ。

(2) 出発後 $t=2$ までに，点 P の動いた道のりを求めよ。

PRACTICE (基本) **175** x 軸上を動く 2 点 P, Q が同時に原点を出発して，t 秒後の速度はそれぞれ $\sin \pi t$, $2\sin 2\pi t$ (cm/s) である。

(1) 出発してから 2 点が重なるのは何秒後か。

(2) 出発してから初めて 2 点が重なるまでに Q が動いた道のりを求めよ。

基本 例題 176 □

xy 平面上を運動する点 P の時刻 t における座標が $x=t-\sin t$, $y=1-\cos t$ で表されている。
$t=0$ から $t=\pi$ までに点 P が動く道のり s を求めよ。

PRACTICE (基本) **176** xy 平面上を運動する点 P の時刻 t における座標が $x=\dfrac{1}{2}t^2-4t$,

$y=-\dfrac{1}{3}t^3+4t^2-16t$ であるとする。このとき，加速度の大きさが最小となる時刻 T を求めよ。

また，この T に対して $t=0$ から $t=T$ までの間に点 P が動く道のり s を求めよ。

基 本 例題 177

次の曲線の長さ L を求めよ。

(1) $x=a(t-\sin t)$, $y=a(1-\cos t)$ $(a>0,\ 0\leqq t\leqq 2\pi)$

(2)　$y=\dfrac{3}{2}\left(e^{\frac{x}{3}}+e^{-\frac{x}{3}}\right)$　$(-6\leqq x\leqq 6)$

PRACTICE (基本) **177**　次の曲線の長さ L を求めよ。

(1)　$\begin{cases} x=e^{t}\cos t \\ y=e^{t}\sin t \end{cases}$　$\left(0\leqq t\leqq\dfrac{\pi}{2}\right)$

(2)　$y=\dfrac{x^{3}}{3}+\dfrac{1}{4x}$　$(1\leqq x\leqq 3)$

重要 例題 178　　　　　　　　　　　　　　　　　　　　　　□ 解説動画

円 $C : x^2 + y^2 = 9$ の内側を半径 1 の円 D が滑らずに転がる。時刻 t において，D は点

$(3\cos t,\ 3\sin t)$ で C に接している。

(1)　時刻 $t = 0$ において，点 $(3,\ 0)$ にあった D 上の点 P の時刻 t における座標 $(x(t),\ y(t))$ を求めよ。

　　ただし，$0 \leqq t \leqq \dfrac{2}{3}\pi$ とする。

(2)　(1) の範囲で点 P の描く曲線の長さを求めよ。

PRACTICE (重要) 178　C を，原点を中心とする単位円とする。長さ 2π のひもの一端を点 A $(1,\ 0)$ に固定し，他の一端 P は初め $P_0(1,\ 2\pi)$ に置く。この状態から，ひもをぴんと伸ばしたまま P を反時計回りに動かして C に巻きつけるとき，P が P_0 から出発して A に到達するまでに描く曲線の長さを求めよ。

重要 例題 179

(1)　曲線 $y = e^{x^2}$ を y 軸の周りに 1 回転してできる容器に深さが h になるまで水を注いだときの，水の体積を V とする。V を h の式で表せ。

(2) (1) の容器に単位時間あたり 2 の割合で水を注ぐとき，水の体積が π となった瞬間の水面の上昇する速さを求めよ。

PRACTICE (重要) **179** 関数 $f(x)$ を $f(x) = \begin{cases} 0 & (0 \leqq x < 1) \\ \log x & (1 \leqq x) \end{cases}$ と定める。曲線 $y = f(x)$ を y 軸の周りに 1 回転して容器を作る。この容器に単位時間あたり a の割合で水を静かに注ぐ。水を注ぎ始めてから時間 t だけ経過したときに，水面の高さが h，水面の半径が r，水面の面積が S，水の体積が V になったとする。

(1) V を h を用いて表せ。

(2) h, r, S の時間 t に関する変化率 $\dfrac{dh}{dt}$, $\dfrac{dr}{dt}$, $\dfrac{dS}{dt}$ をそれぞれ a, h を用いて表せ。

２１．(発展) 微分方程式

補 充 例題 180

□ ▷ 解説動画

次の微分方程式を解け。

(1) $xy' = 2$

(2) $y' = 2y$

PRACTICE (補充) **180** 次の微分方程式を解け。

(1) $x^2 y' = 1$

(2) $y' = 4xy^2$

(3) $y' = y\cos x$

補 充 例題 181

第 1 象限にある曲線 $y=f(x)$ 上の点 $\mathrm{P}(x_1,\ f(x_1))$ における接線と，x 軸，y 軸との交点をそれぞれ A，B とすると，点 P は常に線分 AB の中点になるという。このような曲線のうちで，点 $(1,\ 2)$ を通るものの方程式を求めよ。

PRACTICE (補充) **181**　点 $(1,\ 1)$ を通る曲線 C 上の点を P とする。点 P における曲線 C の接線と，点 P を通り x 軸に垂直な直線，および x 軸で囲まれる三角形の面積が，点 P の位置にかかわらず常に $\dfrac{1}{2}$ となるとき，曲線 C の方程式を求めよ。